Front & Back cover

N# 91 novembre-décembre 1990
Ektacolor print, wood, paint
73 x 146 cm.
28.7 x 57.5 in.
(Illustration detail)
Collection of the Musée d'art Moderne de la Ville de Paris

Jean-Luc Mylayne

September 8 - October 22, 1995

BOCA RATON MUSEUM OF ART

CONTENTS

The passing of armies and the passing of sands in the desert are one.

Cormac McCarthy
The Crossing

ACKNOWLEDGMENTS

It has been my distinct pleasure to work with Jean-Luc and Mylène Mylayne in the organization of this exhibition. It is a privilege and an honor for The Boca Raton Museum of Art to be the first institution in The United States to present Jean-Luc's work in exhibition.

This exhibition and catalogue has received the generous support of étant donnés, the French-American Endowment for Contemporary Art and we are grateful to their Board of Directors especially Jean Digne, Director of the Association Française d'Action Artistique, and to Denis Delbourg, Cultural Counselor and Jacques Soulillou, Director of Visual Arts of The French Embassy. We would also like to thank the generous lenders to the exhibit: The Musée d'Art Moderne, Saint-Étienne and its Director, Bernard Ceysson and Curator, Martine Dancer and the Musée d'Art Moderne de la Ville de Paris and its Director, Suzanne Pagé and Curator, Jacqueline Munck. Several private collectors have generously lent work to the exhibition to whom we are most grateful.

I would like to express my gratitude to a number of people who helped make this exhibition possible beginning with Bernard Lamarche-Vadel who introduced me to Jean-Luc; Régis Durand for his support and assistance; Barbara Rose and Stuart Alexander for their help as translators and Isabelle Chapman who did such a superb job of translating the texts for this catalogue.

Finally I want to thank the staff of The Boca Raton Museum of Art who always make a pleasure out of the task of organizing exhibitions, particularly Courtney Curtiss, Assistant Curator; Rita Levitsky, Registrar and Susana Cohen, Curatorial Assistant.

Timothy A. Eaton
Chief Curator

REMERCIEMENTS

C'est avec un plaisir infini que j'ai collaboré avec Jean-Luc et Mylène Mylayne pour l'organisation de cette exposition. Le Boca Raton Museum s'estime privilégié et honoré d'être le premier aux États-Unis à présenter au publie américain le travail de Jean-Luc Mylayne.

Cette exposition et ce catalogue n'auraient pas vu le jour sans la générosité du French-American Endowment for Contemporary Art. Nous sommes spécialement reconnaissants à son comité de direction, en particulier à Jean Digne, directeur de l'Association française d'action artistique, à Denis Delbourg, conseiller culturel et à Jacques Soulillou, directeur des Arts plastiques des Services culturels français. Nous voudrions aussi remercier tous ceux qui ont eu la gentillesse de nous prêter des oeuvres: Le Musée d'art moderne de Saint-Étienne, son directeur, Bernard Ceysson et son conservateur, Martine Dancer; Le Musée d'art moderne de la Ville de Paris, son directeur, Suzanne Pagé et son conservateur, Jacqueline Munck; et tous les collectionneurs particuliers que nous remercions aussi de tout coeur.

J'aimerais en outre exprimer ma gratitude à toutes les personnes qui ont permis l'organisation de cette exposition, en premier lieu à Bernard Lamarche-Vadel qui m'a présenté Jean-Luc; à Régis Durand pour ses encouragements et son aide; à Barbara Rose, à Stuart Alexander et à Isabelle Chapman pour leur remarquable travail de traduction.

Je voudrais enfin dire toute ma reconnaissance à toute l'équipe du Boca Raton Museum avec qui l'organisation d'une exposition est toujours une partie de plaisir, en particulier à Courtney Curtiss, conservateur adjoint, à Rita Levitsky, Regisseur et à Susana Cohen, assistante auprès du Conservateur en chef.

Timothy A. Eaton
Conservateur en chef

In 1975, John Szarkowski, Director of the Department of Photography of the Museum of Modern Art and since 1962 a dominant figure in shaping the critical climate for photography, wrote an article for the *New York Times Sunday Magazine* in which he attempted to account for photography's newfound cachet as an art medium. The article's title betrays its modernist underpinnings: "A Different Kind of Art." Szarkowski argued, as he did in *The Photographer's Eye*, that the art of photography resides in its differences as a medium from the other visual arts. Among the distinctions he makes is that it is "a perfect tool for visual exploration and discovery, but a rather clumsy one for realizing the invention of pure imagination."

The assertion is not without a historical irony, coming as it did in the middle of the 1970s, for it coincided precisely with the moment that a significant number of artists outside the tradition of this medium were adopting photography as a tool of "pure imagination." Some chose to create fictional narratives, some to invent a theater of the self, some to stretch photographic meaning with words, some to expose flaws in the medium's documentary capabilities.

This interest in photography as a carrier of ideas was not confined to the United States;

John Szarkowski, directeur du département de la Photographie au Musée d'art moderne et depuis 1962 figure dominante de la nouvelle critique photographique, s'est efforcé dans un article paru en 1975 dans le New York Times Sunday Magazine *d'expliquer le prestige retrouvé de la photographic comme médium artistique. Le titre seul de son article en disait assez sur son parti pris moderniste: "Une autre forme d'Art." Comme dans* The Photographer's Eye, *Szarkowski y affirmait que la photographie est un art en ce qu'elle constitue un médium différent de celui des autres arts plastiques. Parmi ces différences, il souligne que nous tenons là "un outil parfait à l'usage de l'exploration et de la découverte visuelles, mais plutôt mal adapté à la réalisation d'inventions relevant de l'imagination pure."*

Il y a dans cette affirmation une certaine ironie au regard de l'Histoire, dès l'instant où à la même époque, c'est-à-dire au milieu des années 70, un nombre significatif d'artistes extérieurs à la tradition de ce médium s'employaient justement à s'approprier une photographie outil de "l'imagination pure," certains choisissant de créer des narrations de fiction, d'autres de se mettre en scène, d'autres encore de prolonger le signifié photographique au moyen des mots, d'autres enfin de mettre au jour les failles dans les capacités documentaires du médium. Cet intérêt pour la photographie/vecteur d'idées n'était pas un

artists in Europe also were exploiting the medium in ways totally unforeseen within its modernist practice.

This exhibition celebrates this new attitude toward photography by showcasing the work of one of France's most distinguished artists, Jean-Luc Mylayne. Like Marcel Duchamp, Mylayne believes in ideas more than objects, and his chosen mission is to investigate systems of information and theories of knowledge and perception and as Duchamp put it, to free art from the tyranny of the retinal.

The attention paid photography's newfound popularity conceals a fundamental shift in the medium's direction; however–a shift that makes speaking of photography as a medium problematic. For just as photography has reached its goal of becoming accepted as a modernist art, primarily on its own formalist momentum, the ground has shifted underneath its feet. Modernist purity of means and uniqueness of mediums are no longer the highest values in the art world; instead, artists like Jean-Luc Mylayne, are collapsing the distance between art and life, high and low culture, the fine and popular arts. In other words, there is not one but two currents propelling photography to prominence and, to a large extent, they are at cross purposes.

Today the future direction of photography

phénomène propre aux États-Unis; des artistes européens s'activaient simultanément à exploiter le médium de différentes manières, mais toujours de façon totalement imprévisible par rapport à la création contemporaine.

L'exposition que nous vous présentons aujourd'hui rend hommage à cette nouvelle attitude vis-à-vis de la photographie en mettant en valeur le travail d'un des meilleurs artistes français, Jean-Luc Mylayne. Comme Marcel Duchamp, Mylayne croit plus aux idées qu'aux objets: il s'est donné pour mission d'explorer les systèmes d'information ainsi que les théories de la connaissance et de la perception, et pour reprendre les mots de Duchamp, de libérer l'art de la tyrannie du regard.

Derrière l'attention accordée à la nouvelle popularité de la photographie, on note en fait un déplacement fondamental de l'orientation prise par le médium; un déplacement d'une telle ampleur que le discours même sur la photographic comme médium devient problématique. Car dès lors que la photographic comme, grâce pour l'essentiel à sa propre dynamique formaliste, a atteint son objectif et a été reconnue comme un art de la modernité, le sol s'est dérobé sous elle. La pureté de moyens propre à la modernité et le caractère nécessairement unique du médium ne comptent en effet plus parmi les valeurs les plus prisées du monde de l'Art: au lieu de quoi, des artistes comme Jean-Luc Mylayne provoquent l'effondrement de la

may be less clear than at times in the past, but never before has the medium been so fully integrated with the other, more established visual arts. To use photography today no longer requires artists to isolate themselves from the mainstream of contemporary art. Indeed, an awareness of the broader issues of the art world now seem essential for anyone involved with photography as an art. The oft-asked, hoary question "Is photography an art?" has been answered in the most convincing possible way: not by a claim to uniqueness or self-sufficiency, but by the widespread, vital presence of photographs within the art world. Whether we choose to call a work photography or painting is less important than if it addresses the conditions of our times. And one of the conditions of our times is the omnipresence of photographs and photographic images.

George S. Bolge
Executive Director

distance entre l'art et la vie, la culture d'élite et la culture de masse, l'art et l'artisanat. En d'autres termes, ce n'est pas un seul mais deux courants qui animent les forces mouvantes qui sont en train de porter la photographie au premier plan, et dans une large mesure, ces deux courants sont en désaccord.

Peut-être percevons-nous à l'heure actuelle moins clairement que par le passé quelle sera l'orientation future de la photographie, mais jamais encore à ce jour ce médium n'a été aussi pleinement intégré à l'établissement des arts plastiques. L'usage de la photographie aujourd'hui n'oblige plus les artistes à s'isoler du courant principal de l'art contemporain. Il semble désormais indispensable en effet pour tout individu engagé dans la création photographique de rester ouvert aux grandes questions du monde artistique. La sempiternelle question "La photographie est-elle un art?" a reçu la réponse la plus convaincante qui soit: non parce qu'elle revendique sa singularité ou son autosuffisance, mais à cause de la présence multiple et vitale des photographes au sein du monde de l'Art. Peu importe qu'une oeuvre soit qualifiée de photographie ou de peinture du moment qu'elle s'adresse aux conditions de notre temps. Et une de ces conditions est l'omniprésence des photographes et des images photographiques.

George S. Bolge
Directeur général

Avian Time
Timothy A. Eaton

Passing time, laying in wait, and simply being there. These are the art practices of Jean-Luc Mylayne. This is not to say Jean-Luc is a flaneur, to the contrary he works very hard, even manically, at these activities and the objects of his art are the residue of these activities. Mylayne's methodical, contemplative and meditative approach to art echos Zen practice. The value of his work rests in their reflection of the artist's intuitive insight found in his activity not in the product or in the moment of creation but in the discipline of experiencing the intervals. In musical terms, Mylayne "plays the silences." These pictures are in contrast to decisive moments, they are endless, countless, constant moments and Mylayne was there not for one, but for all the moments.

The viewer finds value in the work's formal and technical mastery but these images are simply exquisite evidence and it is understanding this fact that we find a separate, greater value. By sharing a knowledge of the artist's time, the moments spent in this meditative practice, we have a denouement. The photographs of Jean-Luc Mylayne are about time, it's transcendence and permanence, its continuum, and perhaps, its meaning.

Jean-Luc Mylayne travels throughout Europe, especially criss-crossing France, living in the countryside, sometimes sleeping in his car weeks on end with his traveling companion and wife, Mylène. He travels with the migrations, waits for and stalks the residents and occasionally

Le Temps Aviaire
Timothy A. Eaton

Passer le temps, vivre dans l'attente et tout simplement être là. Telle se définit la création artistique de Jean-Luc Mylayne. Ce qui ne signifie pas que Jean-Luc soit un "flâneur;" au contraire, il consacre à cette activité une énergie farouche, sinon obsessionnelle: l'objet de son art étant le résidu de cette activité. Son approche méthodique, contemplative et méditative rappelle celle du Zen. La qualité de son travail réside dans sa relation réflexive avec la vision intuitive de l'artiste livré à ses occupations, et non dans le résultat ou dans l'instant de création, mais dans la discipline qu'exige la connaissance des intervalles. En termes musicologiques, Mylayne "joue les silences." Ses images s'opposent au moment décisif, puisqu'elles sont sans fin innombrables, constantes; Mylayne n'ayant pas été là pour un seul mais pour la totalité des moments.

Devant le travail de Mylayne, l'observateur est frappé par la maîtrise formelle et technique de ces images qui sont néanmoins avant tout des signes subtils. C'est en effet dans la perpective de cette compréhension que réside leur qualité supérieure et singulière. En s'ouvrant à la connaissance du temps que possède l'artiste, aux moments passés dans l'exercice de la méditation, nous tenons un "dénouement." Les photographies de Jean-Luc Mylayne nous parlent du temps, de sa transcendance et de sa permanence, de son continuum et peut-être, de sa signification.

Jean-Luc Mylayne voyage aux quatre coins

befriends wild birds, and in this primary activity he photographs them in their surroundings. It is a document of his time, not a place or subject. The birds are in situ with nature and humanity, photographed in barns, tilled and vestal fields, near irrigation canals and rivers, around farm houses, farm yards and in the woods. Mylayne's pictures are not ornithological studies, ecological treatises, socio-political manifestos, anecdotal or even anthropomorphically referential. They are a visual diary. However, we learn nothing of the artist directly, but what we learn of him in his choice of this activity is quite revealing.

Mylayne prints his photographs in a variety of formats from mammoth, mural-size prints to standard size but primarily very large. The large-scale format serves to accentuate the distance, both real and psychological, between the artist and his subject and between the viewer and the work. By enlarging the images the effect tends to exaggerate this sense of distance, which is generally very short, thereby assigning the birds heroic proportions and forcing the issue of the artist's proximity to his subjects. It is a startlingly close proximity suggesting an incredulous familiarity with the birds that adds to these pictures' unsettlingly intense quality. Occasionally Mylayne combines several pictures into the same frame, often the same image in different formats, creating a more direct tableau and again reminding the viewer of the reality of the image as

de l'Europe parcourant la France, campant le long des chemins, dormant parfois dans sa voiture pendant des semaines avec sa femme, Mylène. Il suit les migrations, attend et traque les oiseaux sauvages quand il n'essaye pas de les apprivoiser, et tout en se livrant à cette activité primaire, il les photographie dans leur milieu naturel. Mais il ne s'agit pas de documenter un lieu ou un sujet seulement le temps. Le oiseaux sont pris in situ avec la nature et les hommes, photographiés dans des granges, des labours et des friches, au bord de canaux ou de rivières, à la périphérie des fermes et des potagers et dans les bois. Il serait erroné de voir dans les images de Mylayne une étude ornithologique, un traite écologique, un manifeste socio-politique, un élément anecdotique ou même une allusion anthropomorphique. Elles forment un journal visuel; un journal qui ne nous apprend toutefois rien directement sur l'artiste; seulement ce que nous apprenons de lui à travers l'activité qu'il s'est choisie est tout à fait révélateur.

Mylayne tire ses photos en plusieurs formats, depuis les tirages géants muraux jusqu'aux tailles standard, mais surtout en grand format. Les formats de grande taille accentuent la distance, réelle et psychologique, entre l'artiste et son sujet; entre le publie et l'oeuvre. L'agrandissement de l'image permet d'amplifier la notion de distance, en général extrêmement courte, prêtant de cette manière aux oiseaux des proportions monumentales et accentuant la

opposed to the fact of the picture.

Mylayne's finely crafted, beautifully rendered photographs provoke in the viewer immediate and lasting questions: What are they pictures of? What do they represent? How were they accomplished, physically and technically? What do they mean? These questions are not uncommon to any confrontation with effective art, but in Mylayne's work there is an additional element of obfuscation as they seem so clearly to be about birds in the environment. However, the subject is nearly irrelevant. These images are about Mylayne's life which exposes a hauntingly austere, monk-like mania that cloaks itself in his focus on birds. This obsession is clearly consuming, as any true obsession must be, and the pictures speak so loudly and eloquently of his life that it ultimately matters not that the subjects are ostensibly birds, for they could easily be bugs, fish, shifting grains of sand, some microcosm, anything.

Jean-Luc Mylayne's art is at its core, as most important art of the twentieth century, conceptual. That is, the expression of the artist's idea and its perception by its audience is the principle objective. The manifestation of this idea is transitory and flexible and its value as a vessel is often of less significance than as a reference.

This type of documentary has numerous precedents and corollaries in contemporary art, such as Robert Smithson whose site works often exist for the viewer only in photographic

sensation d'une proximité de l'artiste avec son sujet. Une proximité effrayante, évocatrice d'une familiarité incroyable avec les oiseaux, et qui donne à ces images une intensité troublante. Il arrive que Mylayne en combine plusieurs dans le même cadre, souvent la même dans des formats différents générant un rapport plus direct qui rappelle au public la réalité de l'image telle qu'elle s'oppose au fait pictural.

La finesse et la beauté des photographies de Mylayne suscite immédiatement chez l'observateur des questions lancinaates: De quoi parlent ces images? Que représentent-elles? Comment ont-elles été prises physiquement et techniquement? Que signifient-elles? Des questions, somme toute, banales en regard de l'art concret, mais qui dans le cas de Mylayne sont d'autant plus déconcertantes qu'il s'agit tellement manifestement de photographies d'oiseaux dans leur milieu naturel. Pourtant le sujet est hors propos, ces images évoquant la vie de Mylayne, une vie d'une austérité monacale drapée dans un intérêt passionné pour les oiseaux. Comme toute vraie obsession, de toute évidence celle-ci le consume: les images évoquent si clairement et éloquemment sa vie qu'au bout du compte peu importe son sujet, il pourrait aussi bien photographier des insectes, des poissons, des grains de sable ou un microcosme quelconque.

Comme la majorité des artistes marquants du XXe siècle, Jean-Luc Mylayne est essentiellement un artiste conceptuel. C'est-à-dire que ses

documentation, and Hamish Fulton, whose art practice includes "walks" in the countryside which are recorded in landscape photographs, and Bruce Nauman and Tom Marioni whose performances have at times been conducted for the purpose of documentation.[1]

The work in this exhibition bears witness to Mylayne's devotion to this practice over a period of 20 years. Each frame represents Mylayne in wait, long, long moments waiting, waiting for a confluence, waiting still and hopeful, waiting for a communique, waiting as existential practice. These photographs can be studied as points of meditation, images of contemplation and examinations of perception, and in patient and intense scrutiny will reveal aspects of nature, the nature of the artist and the nature of time.

Endnote:
1. See for example:
Smithson: (Spiral Jetty, 1970);
Fulton: (Circular Road Walk in Peru, 1974, et al);
Nauman: (Self-portrait as a Fountain, 1966-1970);
Marioni: (One Second Sculpture, 1969)

Endnote:
1. Voir par exemple:
Smithson: (Jetée spiroidale, 1970);
Fulton: (Sentier pédestre circulaire au Pérou,1974);
Nauman: (Fontaine, 1966-1970);
Marioni: (Sculpture instantanée, 1969)

principaux objectifs sont d'une part l'expression de l'idée de l'artiste et d'autre part la perception de cette idée par le publie. La façon dont celle-ci se manifeste est un phénomène transitoire et flexible; sa fonction de véhicule étant en effet moins significative que sa fonction référentielle.

On trouve dans l'art contemporain de nombreux précédents et corollaires à ce type de travail documentaire. Par exemple, Robert Smithson dont les installations sur site n'existent pour l'observateur que sous forme de documents photographiques; Hamish Fulton et son travail sur le "randonnées" dans la campagne dont il tient la chronique au moyen de photographies de paysage; Bruce Nauman et Tom Marioni dont les mises en scène sont parfois organisées au seul bénéfice de la documentation.[1]

Le travail que nous exposons aujourd'hui témoigne d'une fidélité de vingt années à une seule et unique création artistique. Chaque image représente l'artiste se tenant en attente; de longs, d'interminables moments d'attente; Mylayne attendant une confluence; immobile, plein d'espoir, attendant un message, attendant comme s'il s'agissait d'un exercice existentiel. Ces photographies peuvent être interprétées comme des points de méditation, des images de la contemplation, des explorations de la perception; et à ceux qui se montrent assez patients et attentifs, elles révéleront les visages de la nature, de la nature de l'artiste et de celle du temps.

PLATES

44.

46.

EXHIBITION CHECKLIST

p. 41 N# 46 octobre 1984 à juillet 1986
Ektacolor print, rag paper, wood, paint
120 x 200 cm.
47.2 x 78.7 in.
Collection of the Musée d'art Moderne,
Saint-Étienne

p. 43 N# 97 août 1990 à décembre 1991
Ektacolor print, wood, paint
63 x 63 cm.
24.8 x 24.8 in.
Collection of the Artist

p. 45 N# 22 juin-juillet 1981
Ektacolor print, rag paper, wood, paint
100 x 100 cm.
39.4 x 39.4 in.
(Illustration Detail)
Collection of the Musée d'art Moderne,
Saint-Étienne

p. 47 N# 91 novembre-décembre 1990
Ektacolor print, wood, paint
73 x 146 cm.
28.7 x 57.5 in.
Collection of the Musée d'art Moderne de la
Ville de Paris

N# 12 mai-juin 1980
Ektacolor print, rag paper, wood, paint
120 x 160 cm.
47.2 x 63 in.
Collection of the Artist

N# 96 août 1990 à décembre 1991
Ektacolor print, wood, paint
128 x 128 cm.
50.4 x 50.4 in.
Collection of the Artist

N# 28 juin-juillet-août 1981
Ektacolor print, rag paper, wood, paint
100 x 100 cm.
39.4 x 39.4 in.
Collection Musée Bonnat, Bayonne

N# 110 avril 1991 à mai 1992
Ektacolor print, wood, paint
150 x 150 cm
59 x 59 in.
Collection of the Artist

N# 15 juillet-août 1980
Ektacolor print, rag paper, wood, paint
100 x 100 cm.
39.4 x 39.4 in.
Collection of the Artist

N# 42 juin 1986
Ektacolor print, rag paper, wood, paint
100 x 100 cm
39.4 x 39.4 in.
Collection of the Artist

N# 32 juin-juillet 1982
Ektacolor print, rag paper, wood, paint
120 x 120 cm
47.2 x 47.2 in.
Collection of the Artist

SELECTIVE BIOGRAPHY

Born in 1946

Solo Exhibitions

1989   Musée des Beaux-Arts, Calais then
Musée d'Art Moderne, Saint-Étienne
(1991)

1990   Bibliothèque Nationale, Paris

1992   Musée Bonnat, "Le carré," Bayonne
Centre d'Art, Vitré
Galerie Météo, Paris

1993   Musée de l'Abbaye Sainte-Croix,
Les Sables d'Olonne

1994   Musée d'Art Moderne, Saint-Étienne
Galerie Barbier-Beltz, FIAC, Paris

1995   ARC/Musée d'Art Moderne de la
Ville de Paris
Boca Raton Museum of Art, Boca Raton

Group Exhibitions

1993   Galerie Barbier-Beltz, Paris
Galerie Claudine Papillon, Paris

1994   Galerie Météo, Paris
Musée des Beaux Arts, Agen

1995   Kunsthaus, Zürich then
Centro Galego de Arte Contemporánea,
Santiago de Compostela

BIOGRAPHIE SELECTIVE

Né en 1946

Expositions personnelles

1989   Musée des Beaux-Arts, Calais puis
Musée d'art Moderne, Saint-Étienne
(1991)

1990   Bibliothèque Nationale, Paris

1992   Musée Bonnat, "Le carré," Bayonne
Centre d'art, Vitré
Galerie Météo, Paris

1993   Musée de l'Abbaye Sainte-Croix,
Les Sables d'Olonne

1994   Musée d'art Moderne, Saint-Étienne
Galerie Barbier-Beltz, FIAC, Paris

1995   ARC/Musée d'art Moderne de la
Ville de Paris
Boca Raton Museum of Art, Boca Raton

Expositions collectives

1993   Galerie Barbier-Beltz, Paris
Galerie Claudine Papillon, Paris

1994   Galerie Météo, Paris
Musée des Beaux Arts, Agen

1995   Kunsthaus, Zürich puis
Centro Galego de Arte Contemporánea,
Santiago de Compostela